Practice

Eureka Math®
Grade 4 Fluency Module 5

TEKS EDITION

Great Minds® is the creator of *Eureka Math*®, *Wit & Wisdom*®, *Alexandria Plan*™, and *PhD Science*®.

Published by Great Minds PBC.
greatminds.org

Copyright © 2021 Great Minds PBC. Except where otherwise noted, this content is published under a limited public license with the Texas Education Agency. Use limited to Non-Commercial educational purposes. For more information, visit https://gm.greatminds.org/texas.

Printed in the USA
1 2 3 4 5 6 7 8 9 10 CCR 25 24 23 22 21

ISBN 978-1-64929-677-1

Learn ◆ Practice ◆ Succeed

Eureka Math® student materials for *A Story of Units*® (K–5) are available in the *Learn, Practice, Succeed* trio. This series supports differentiation and remediation while keeping student materials organized and accessible. Educators will find that the *Learn, Practice,* and *Succeed* series also offers coherent—and therefore, more effective—resources for Response to Intervention (RTI), extra practice, and summer learning.

Learn

Eureka Math Learn serves as a student's in-class companion where they show their thinking, share what they know, and watch their knowledge build every day. *Learn* assembles the daily classwork—Application Problems, Exit Tickets, Problem Sets, templates—in an easily stored and navigated volume.

Practice

Each *Eureka Math* lesson begins with a series of energetic, joyous fluency activities, including those found in *Eureka Math Practice.* Students who are fluent in their math facts can master more material more deeply. With *Practice,* students build competence in newly acquired skills and reinforce previous learning in preparation for the next lesson.

Together, *Learn* and *Practice* provide all the print materials students will use for their core math instruction.

Succeed

Eureka Math Succeed enables students to work individually toward mastery. These additional problem sets align lesson by lesson with classroom instruction, making them ideal for use as homework or extra practice. Each problem set is accompanied by a Homework Helper, a set of worked examples that illustrate how to solve similar problems.

Teachers and tutors can use *Succeed* books from prior grade levels as curriculum-consistent tools for filling gaps in foundational knowledge. Students will thrive and progress more quickly as familiar models facilitate connections to their current grade-level content.

Students, families, and educators:

Thank you for being part of the *Eureka Math*® community, where we celebrate the joy, wonder, and thrill of mathematics. One of the most obvious ways we display our excitement is through the fluency activities provided in *Eureka Math Practice*.

What is fluency in mathematics?

You may think of *fluency* as associated with the language arts, where it refers to speaking and writing with ease. In prekindergarten through grade 5, the *Eureka Math* curriculum contains multiple daily opportunities to build fluency *in mathematics*. Each is designed with the same notion—growing every student's ability to use mathematics *with ease*. Fluency experiences are generally fast-paced and energetic, celebrating improvement and focusing on recognizing patterns and connections within the material. They are not intended to be graded.

Eureka Math fluency activities provide differentiated practice through a variety of formats—some are conducted orally, some use manipulatives, others use a personal whiteboard, and still others use a handout and paper-and-pencil format. *Eureka Math Practice* provides each student with the printed fluency exercises for his or her grade level.

What is a Sprint?

Many printed fluency activities utilize the format we call a Sprint. These exercises build speed and accuracy with already acquired skills. Used when students are nearing optimum proficiency, Sprints leverage tempo to build a low-stakes adrenaline boost that increases memory and recall. Their intentional design makes Sprints inherently differentiated; the problems build from simple to complex, with the first quadrant of problems being the simplest and each subsequent quadrant adding complexity. Further, intentional patterns within the sequence of problems engage students' higher order thinking skills.

The suggested format for delivering a Sprint calls for students to do two consecutive Sprints (labeled A and B) on the same skill, each timed at one minute. Students pause between Sprints to articulate the patterns they noticed as they worked the first Sprint. Noticing the patterns often provides a natural boost to their performance on the second Sprint.

Sprints can be conducted with an untimed protocol as well. The untimed protocol is highly recommended when students are still building confidence with the level of complexity of the first quadrant of problems. Once all students are prepared for success on the Sprint, the work of improving speed and accuracy with the energy of a timed protocol is often welcome and invigorating.

Where can I find other fluency activities?

The *Eureka Math Teacher Edition* guides educators in the delivery of all fluency activities for each lesson, including those that do not require print materials. Additionally, the *Eureka Digital Suite* provides access to the fluency activities for all grade levels, searchable by standard or lesson.

Best wishes for a year filled with aha moments!

Jill Diniz
Director of Mathematics
Great Minds

Contents

Module 5

Lesson 19: Add Fractions Sprint 1

Lesson 26: Change Fractions to Mixed Numbers Sprint 5

Lesson 27: Change Fractions to Mixed Numbers Sprint 9

Lesson 29: Change Mixed Numbers to Fractions Sprint 13

Lesson 30: Change Mixed Numbers to Fractions Sprint 17

A STORY OF UNITS – TEKS EDITION

Lesson 19 Sprint 4•5

A

Number Correct: _____

Add Fractions

1.	$1 + 1 =$	
2.	$\frac{1}{5} + \frac{1}{5} =$	
3.	$2 + 1 =$	
4.	$\frac{2}{5} + \frac{1}{5} =$	
5.	$2 + 2 =$	
6.	$\frac{2}{5} + \frac{2}{5} =$	
7.	$3 + 2 =$	
8.	$\frac{3}{5} + \frac{2}{5} =$	fifths
9.	$\frac{5}{5} =$	
10.	$\frac{3}{5} + \frac{2}{5} =$	
11.	$3 + 2 =$	
12.	$\frac{3}{8} + \frac{2}{8} =$	
13.	$3 + 2 + 2 =$	
14.	$\frac{3}{8} + \frac{2}{8} + \frac{2}{8} =$	
15.	$\frac{3}{8} + \frac{3}{8} + \frac{2}{8} =$	eighths
16.	$\frac{8}{8} =$	
17.	$\frac{3}{8} + \frac{3}{8} + \frac{2}{8} =$	
18.	$2 + 1 + 1 =$	
19.	$\frac{2}{3} + \frac{1}{3} + \frac{1}{3} =$	thirds
20.	$\frac{2}{3} + \frac{1}{3} + \frac{1}{3} =$	$1\frac{1}{3}$
21.	$2 + 2 + 2 =$	
22.	$\frac{2}{5} + \frac{2}{5} + \frac{2}{5} =$	fifths

23.	$\frac{2}{5} + \frac{2}{5} + \frac{2}{5} =$	$1\frac{1}{5}$
24.	$3 + 3 + 3 =$	
25.	$\frac{3}{8} + \frac{3}{8} + \frac{3}{8} =$	eighths
26.	$\frac{3}{8} + \frac{3}{8} + \frac{3}{8} =$	$1\frac{1}{8}$
27.	$\frac{5}{8} + \frac{5}{8} + \frac{5}{8} =$	$1\frac{1}{8}$
28.	$1 + 1 + 1 =$	
29.	$\frac{1}{2} + \frac{1}{2} + \frac{1}{2} =$	halves
30.	$\frac{1}{2} + \frac{1}{2} + \frac{1}{2} =$	$1\frac{1}{2}$
31.	$4 + 4 + 4 =$	
32.	$\frac{4}{10} + \frac{4}{10} + \frac{4}{10} =$	tenths
33.	$\frac{4}{10} + \frac{4}{10} + \frac{4}{10} =$	$1\frac{1}{10}$
34.	$\frac{6}{10} + \frac{6}{10} + \frac{6}{10} =$	$1\frac{1}{10}$
35.	$2 + 2 + 2 =$	
36.	$\frac{2}{6} + \frac{2}{6} + \frac{2}{6} =$	sixths
37.	$\frac{2}{6} + \frac{2}{6} + \frac{2}{6} =$	
38.	$\frac{3}{6} + \frac{3}{6} + \frac{3}{6} =$	$1\frac{1}{6}$
39.	$\frac{5}{12} + \frac{2}{12} + \frac{4}{12} =$	
40.	$\frac{4}{12} + \frac{4}{12} + \frac{4}{12} =$	
41.	$\frac{5}{12} + \frac{5}{12} + \frac{7}{12} =$	$1\frac{1}{12}$
42.	$\frac{7}{12} + \frac{9}{12} + \frac{7}{12} =$	$1\frac{1}{12}$
43.	$\frac{7}{15} + \frac{8}{15} + \frac{7}{15} =$	$1\frac{1}{15}$
44.	$\frac{12}{15} + \frac{8}{15} + \frac{9}{15} =$	$1\frac{1}{15}$

Lesson 19: Add a fraction less than 1 to, or subtract a fraction less than 1 from, a whole number using decomposition and visual models.

 1

EUREKA MATH® TEKS EDITION

© Great Minds PBC
TEKS Edition | greatminds.org/texas

B

Add Fractions

Number Correct: _____
Improvement: _____

1.	$1 + 1 =$	
2.	$\frac{1}{6} + \frac{1}{6} =$	
3.	$3 + 1 =$	
4.	$\frac{3}{6} + \frac{1}{6} =$	
5.	$3 + 2 =$	
6.	$\frac{3}{6} + \frac{2}{6} =$	
7.	$4 + 2 =$	
8.	$\frac{4}{6} + \frac{2}{6} =$	sixths
9.	$\frac{6}{6} =$	
10.	$\frac{4}{6} + \frac{2}{6} =$	
11.	$5 + 2 =$	
12.	$\frac{5}{8} + \frac{2}{8} =$	
13.	$5 + 1 + 1 =$	
14.	$\frac{5}{8} + \frac{1}{8} + \frac{1}{8} =$	
15.	$\frac{5}{8} + \frac{2}{8} + \frac{1}{8} =$	eighths
16.	$\frac{8}{8} =$	
17.	$\frac{3}{8} + \frac{3}{8} + \frac{2}{8} =$	
18.	$1 + 1 + 2 =$	
19.	$\frac{1}{3} + \frac{1}{3} + \frac{2}{3} =$	thirds
20.	$\frac{1}{3} + \frac{1}{3} + \frac{2}{3} =$	$1\frac{}{3}$
21.	$3 + 3 + 3 =$	
22.	$\frac{3}{8} + \frac{3}{8} + \frac{3}{8} =$	eighths
23.	$\frac{3}{8} + \frac{3}{8} + \frac{3}{8} =$	$1\frac{}{8}$
24.	$1 + 1 + 1 =$	
25.	$\frac{1}{2} + \frac{1}{2} + \frac{1}{2} =$	halves
26.	$\frac{1}{2} + \frac{1}{2} + \frac{1}{2} =$	$1\frac{}{2}$
27.	$2 + 2 + 2 =$	
28.	$\frac{2}{5} + \frac{2}{5} + \frac{2}{5} =$	fifths
29.	$\frac{2}{5} + \frac{2}{5} + \frac{2}{5} =$	$1\frac{}{5}$
30.	$\frac{3}{5} + \frac{3}{5} + \frac{3}{5} =$	$1\frac{}{5}$
31.	$6 + 6 + 6 =$	
32.	$\frac{6}{10} + \frac{6}{10} + \frac{6}{10} =$	tenths
33.	$\frac{6}{10} + \frac{6}{10} + \frac{6}{10} =$	$1\frac{}{10}$
34.	$\frac{5}{10} + \frac{5}{10} + \frac{5}{10} =$	$1\frac{}{10}$
35.	$2 + 2 + 2 =$	
36.	$\frac{2}{6} + \frac{2}{6} + \frac{2}{6} =$	sixths
37.	$\frac{2}{6} + \frac{2}{6} + \frac{2}{6} =$	
38.	$\frac{3}{6} + \frac{3}{6} + \frac{3}{6} =$	$1\frac{}{6}$
39.	$\frac{5}{12} + \frac{3}{12} + \frac{3}{12} =$	
40.	$\frac{5}{12} + \frac{5}{12} + \frac{2}{12} =$	
41.	$\frac{6}{12} + \frac{5}{12} + \frac{6}{12} =$	$1\frac{}{12}$
42.	$\frac{8}{12} + \frac{10}{12} + \frac{5}{12} =$	$1\frac{}{12}$
43.	$\frac{7}{15} + \frac{7}{15} + \frac{8}{15} =$	$1\frac{}{15}$
44.	$\frac{13}{15} + \frac{9}{15} + \frac{7}{15} =$	$1\frac{}{15}$

Lesson 19: Add a fraction less than 1 to, or subtract a fraction less than 1 from, a whole number using decomposition and visual models.

A

Change Fractions to Mixed Numbers

Number Correct: _____

1.	$3 = 2 + \_\_$
2.	$\frac{3}{2} = \frac{2}{2} + \frac{}{2}$
3.	$\frac{3}{2} = 1 + \frac{}{2}$
4.	$\frac{3}{2} = 1\frac{}{2}$
5.	$5 = 4 + \_\_$
6.	$\frac{5}{4} = \frac{4}{4} + \frac{}{4}$
7.	$\frac{5}{4} = 1 + \frac{}{4}$
8.	$\frac{5}{4} = 1\frac{}{4}$
9.	$4 = \_\_ + 1$
10.	$\frac{4}{3} = \frac{}{3} + \frac{1}{3}$
11.	$\frac{4}{3} = 1 + \frac{}{3}$
12.	$\frac{4}{3} = \_\_\frac{1}{3}$
13.	$7 = \_\_ + 2$
14.	$\frac{7}{5} = \frac{}{5} + \frac{2}{5}$
15.	$\frac{7}{5} = 1 + \frac{}{5}$
16.	$\frac{7}{5} = 1\frac{}{5}$
17.	$\frac{8}{5} = 1\frac{}{5}$
18.	$\frac{9}{5} = 1\frac{}{5}$
19.	$\frac{6}{5} = 1\frac{}{5}$
20.	$\frac{10}{5} =$
21.	$\frac{}{5} = \frac{10}{5} + \frac{1}{5}$
22.	$\frac{}{5} = 2 + \frac{1}{5}$

23.	$\frac{6}{3} =$
24.	$\frac{}{3} = \frac{6}{3} + \frac{2}{3}$
25.	$\frac{8}{3} = \frac{6}{3} + \frac{}{3}$
26.	$\frac{8}{3} = 2 + \frac{}{3}$
27.	$\frac{8}{3} = 2\frac{}{3}$
28.	$\frac{}{4} = \frac{8}{4} + \frac{1}{4}$
29.	$\frac{}{4} = 2 + \frac{1}{4}$
30.	$\frac{9}{4} = \_\_\frac{1}{4}$
31.	$\frac{11}{4} = \_\_\frac{3}{4}$
32.	$\frac{8}{3} = \frac{}{3} + \frac{2}{3}$
33.	$\frac{8}{3} = \frac{6}{3} + \frac{}{3}$
34.	$\frac{8}{3} = \_\_ + \frac{2}{3}$
35.	$\frac{8}{3} = \_\_\frac{2}{3}$
36.	$\frac{14}{5} = \frac{10}{5} + \frac{}{5}$
37.	$\frac{14}{5} = \_\_ + \frac{4}{5}$
38.	$\frac{14}{5} = 2\frac{}{5}$
39.	$\frac{13}{5} = 2\frac{}{5}$
40.	$\frac{9}{8} = 1 + \frac{}{8}$
41.	$\frac{15}{8} = 1 + \frac{}{8}$
42.	$\frac{17}{12} = \frac{}{12} + \frac{5}{12}$
43.	$\frac{11}{8} = 1 + \frac{}{8}$
44.	$\frac{17}{12} = 1 + \frac{}{12}$

Lesson 26: Add a mixed number and a fraction.

B

Change Fractions to Mixed Numbers

Number Correct: _____
Improvement: _____

1.	6 = 5 + ___	
2.	$\frac{6}{5} = \frac{5}{5} + \frac{}{5}$	
3.	$\frac{6}{5} = 1 + \frac{}{5}$	
4.	$\frac{6}{5} = 1\frac{}{5}$	
5.	4 = 3 + ___	
6.	$\frac{4}{3} = \frac{3}{3} + \frac{}{3}$	
7.	$\frac{4}{3} = 1 + \frac{}{3}$	
8.	$\frac{4}{3} = 1\frac{}{3}$	
9.	5 = ___ + 1	
10.	$\frac{5}{4} = \frac{}{4} + \frac{1}{4}$	
11.	$\frac{5}{4} = 1 + \frac{}{4}$	
12.	$\frac{5}{4} = ___ \frac{1}{4}$	
13.	8 = ___ + 3	
14.	$\frac{8}{5} = \frac{}{5} + \frac{3}{5}$	
15.	$\frac{8}{5} = 1 + \frac{}{5}$	
16.	$\frac{8}{5} = 1\frac{}{5}$	
17.	$\frac{9}{5} = 1\frac{}{5}$	
18.	$\frac{6}{5} = 1\frac{}{5}$	
19.	$\frac{7}{5} = 1\frac{}{5}$	
20.	$\frac{6}{3} =$	
21.	$\frac{}{3} = \frac{6}{3} + \frac{1}{3}$	
22.	$\frac{}{3} = 2 + \frac{1}{3}$	

23.	$\frac{4}{2} =$	
24.	$\frac{}{2} = \frac{4}{2} + \frac{1}{2}$	
25.	$\frac{5}{2} = \frac{4}{2} + \frac{}{2}$	
26.	$\frac{5}{2} = 2 + \frac{}{2}$	
27.	$\frac{5}{2} = 2\frac{}{2}$	
28.	$\frac{}{5} = \frac{10}{5} + \frac{1}{5}$	
29.	$\frac{}{5} = 2 + \frac{1}{5}$	
30.	$\frac{11}{5} = ___\frac{1}{5}$	
31.	$\frac{13}{5} = ___\frac{3}{5}$	
32.	$\frac{5}{3} = \frac{}{3} + \frac{1}{3}$	
33.	$\frac{5}{2} = \frac{4}{2} + \frac{}{2}$	
34.	$\frac{5}{2} = ___ + \frac{1}{2}$	
35.	$\frac{5}{2} = ___\frac{1}{2}$	
36.	$\frac{12}{5} = \frac{10}{5} + \frac{}{5}$	
37.	$\frac{12}{5} = ___ + \frac{2}{5}$	
38.	$\frac{12}{5} = 2\frac{}{5}$	
39.	$\frac{14}{5} = 2\frac{}{5}$	
40.	$\frac{9}{8} = 1 + \frac{}{8}$	
41.	$\frac{11}{8} = 1 + \frac{}{8}$	
42.	$\frac{19}{12} = \frac{}{12} + \frac{7}{12}$	
43.	$\frac{15}{8} = 1 + \frac{}{8}$	
44.	$\frac{19}{12} = 1 + \frac{}{12}$	

Lesson 26: Add a mixed number and a fraction.

A STORY OF UNITS – TEKS EDITION

Lesson 27 Sprint 4•5

A

Number Correct: _____

Change Fractions to Mixed Numbers

1.	$3 + 1 =$		23.	$1\frac{3}{8} = \frac{}{8}$	
2.	$\frac{3}{3} + \frac{1}{3} = \frac{}{3}$		24.	$2 + \frac{1}{3} = 2\frac{}{3}$	
3.	$1 + \frac{1}{3} = \frac{}{3}$		25.	$\frac{6}{3} + \frac{1}{3} = \frac{}{3}$	
4.	$1\frac{1}{3} = \frac{}{3}$		26.	$2 + \frac{1}{3} = \frac{}{3}$	
5.	$5 + 1 =$		27.	$2\frac{1}{3} = \frac{}{3}$	
6.	$\frac{5}{5} + \frac{1}{5} = \frac{}{5}$		28.	$2 + \frac{1}{5} = 2\frac{}{5}$	
7.	$1 + \frac{1}{5} = \frac{}{5}$		29.	$\frac{10}{5} + \frac{1}{5} = \frac{}{5}$	
8.	$1\frac{1}{5} = \frac{}{5}$		30.	$2 + \frac{1}{5} = \frac{}{5}$	
9.	$2 + 1 =$		31.	$2\frac{1}{5} = \frac{}{5}$	
10.	$\frac{2}{2} + \frac{1}{2} = \frac{}{2}$		32.	$\frac{8}{4} + \frac{3}{4} = \frac{}{4}$	
11.	$1 + \frac{1}{2} = \frac{}{2}$		33.	$2 + \frac{3}{4} = \frac{}{4}$	
12.	$1\frac{1}{2} = \frac{}{2}$		34.	$2\frac{3}{4} = \frac{}{4}$	
13.	$\frac{4}{4} + \frac{1}{4} = \frac{}{4}$		35.	$\frac{12}{3} + \frac{2}{3} = \frac{}{3}$	
14.	$1 + \frac{1}{4} = \frac{}{4}$		36.	$4 + \frac{2}{3} = \frac{}{3}$	
15.	$1\frac{1}{4} = \frac{}{4}$		37.	$4\frac{2}{3} = \frac{}{3}$	
16.	$1\frac{3}{4} = \frac{}{4}$		38.	$3 + \frac{3}{5} = \frac{}{5}$	
17.	$\frac{5}{5} + \frac{1}{5} = \frac{}{5}$		39.	$3 + \frac{1}{2} = \frac{}{2}$	
18.	$1 + \frac{1}{5} = \frac{}{5}$		40.	$4 + \frac{3}{4} = \frac{}{4}$	
19.	$1\frac{1}{5} = \frac{}{5}$		41.	$2 + \frac{1}{6} = \frac{}{6}$	
20.	$1\frac{3}{5} = \frac{}{5}$		42.	$2 + \frac{5}{8} = \frac{}{8}$	
21.	$\frac{8}{8} + \frac{3}{8} = \frac{}{8}$		43.	$2\frac{4}{5} = \frac{}{5}$	
22.	$1 + \frac{3}{8} = \frac{}{8}$		44.	$3\frac{7}{8} = \frac{}{8}$	

Lesson 27: Add mixed numbers.

B

Change Fractions to Mixed Numbers

Number Correct: _____

Improvement: _____

1.	$4 + 1 =$	
2.	$\frac{4}{4} + \frac{1}{4} = \frac{\ }{4}$	
3.	$1 + \frac{1}{4} = \frac{\ }{4}$	
4.	$1\frac{1}{4} = \frac{\ }{4}$	
5.	$2 + 1 =$	
6.	$\frac{2}{2} + \frac{1}{2} = \frac{\ }{2}$	
7.	$1 + \frac{1}{2} = \frac{\ }{2}$	
8.	$1\frac{1}{2} = \frac{\ }{2}$	
9.	$5 + 1 =$	
10.	$\frac{5}{5} + \frac{1}{5} = \frac{\ }{5}$	
11.	$1 + \frac{1}{5} = \frac{\ }{5}$	
12.	$1\frac{1}{5} = \frac{\ }{5}$	
13.	$\frac{3}{3} + \frac{1}{3} = \frac{\ }{3}$	
14.	$1 + \frac{1}{3} = \frac{\ }{3}$	
15.	$1\frac{1}{3} = \frac{\ }{3}$	
16.	$1\frac{2}{3} = \frac{\ }{3}$	
17.	$\frac{10}{10} + \frac{1}{10} = \frac{\ }{10}$	
18.	$1 + \frac{1}{10} = \frac{\ }{10}$	
19.	$1\frac{1}{10} = \frac{\ }{10}$	
20.	$1\frac{7}{10} = \frac{\ }{10}$	
21.	$\frac{8}{8} + \frac{5}{8} = \frac{\ }{8}$	
22.	$1 + \frac{5}{8} = \frac{\ }{8}$	

23.	$1\frac{5}{8} = \frac{\ }{8}$	
24.	$2 + \frac{1}{2} = 2\frac{\ }{2}$	
25.	$\frac{4}{2} + \frac{1}{2} = \frac{\ }{2}$	
26.	$2 + \frac{1}{2} = \frac{\ }{2}$	
27.	$2\frac{1}{2} = \frac{\ }{2}$	
28.	$2 + \frac{1}{4} = 2\frac{\ }{4}$	
29.	$\frac{8}{4} + \frac{1}{4} = \frac{\ }{4}$	
30.	$2 + \frac{1}{4} = \frac{\ }{4}$	
31.	$2\frac{1}{4} = \frac{\ }{4}$	
32.	$\frac{6}{3} + \frac{2}{3} = \frac{\ }{3}$	
33.	$2 + \frac{2}{3} = \frac{\ }{3}$	
34.	$2\frac{2}{3} = \frac{\ }{3}$	
35.	$\frac{12}{4} + \frac{3}{4} = \frac{\ }{4}$	
36.	$3 + \frac{3}{4} = \frac{\ }{4}$	
37.	$3\frac{3}{4} = \frac{\ }{4}$	
38.	$3 + \frac{4}{5} = \frac{\ }{5}$	
39.	$4 + \frac{1}{2} = \frac{\ }{2}$	
40.	$4 + \frac{2}{3} = \frac{\ }{3}$	
41.	$3 + \frac{1}{6} = \frac{\ }{6}$	
42.	$2 + \frac{7}{8} = \frac{\ }{8}$	
43.	$2\frac{3}{5} = \frac{\ }{5}$	
44.	$2\frac{7}{8} = \frac{\ }{8}$	

Lesson 27: Add mixed numbers.

A STORY OF UNITS – TEKS EDITION — Lesson 29 Sprint — 4•5

A

Number Correct: _____

Change Mixed Numbers to Fractions

1.	2 + 1 =
2.	$\frac{2}{2} + \frac{1}{2} = \frac{}{2}$
3.	$1 + \frac{1}{2} = \frac{}{2}$
4.	$1\frac{1}{2} = \frac{}{2}$
5.	4 + 1 =
6.	$\frac{4}{4} + \frac{1}{4} = \frac{}{4}$
7.	$1 + \frac{1}{4} = \frac{}{4}$
8.	$1\frac{1}{4} = \frac{}{4}$
9.	3 + 1 =
10.	$\frac{3}{3} + \frac{1}{3} = \frac{}{3}$
11.	$1 + \frac{1}{3} = \frac{}{3}$
12.	$1\frac{1}{3} = \frac{}{3}$
13.	$\frac{5}{5} + \frac{1}{5} = \frac{}{5}$
14.	$1 + \frac{1}{5} = \frac{}{5}$
15.	$1\frac{1}{5} = \frac{}{5}$
16.	$1\frac{2}{5} = \frac{}{5}$
17.	$1\frac{4}{5} = \frac{}{5}$
18.	$1\frac{3}{5} = \frac{}{5}$
19.	$\frac{4}{4} + \frac{3}{4} = \frac{}{4}$
20.	$1 + \frac{3}{4} = \frac{}{4}$
21.	$\frac{6}{6} + \frac{5}{6} = \frac{}{6}$
22.	$1 + \frac{5}{6} = \frac{}{6}$

23.	$1\frac{5}{6} = \frac{}{6}$
24.	$2 + \frac{1}{2} = 2\frac{}{2}$
25.	$\frac{4}{2} + \frac{1}{2} = \frac{}{2}$
26.	$2 + \frac{1}{2} = \frac{}{2}$
27.	$2\frac{1}{2} = \frac{}{2}$
28.	$2 + \frac{1}{4} = 2\frac{}{4}$
29.	$\frac{8}{4} + \frac{1}{4} = \frac{}{4}$
30.	$2 + \frac{1}{4} = \frac{}{4}$
31.	$2\frac{1}{4} = \frac{}{4}$
32.	$\frac{9}{3} + \frac{2}{3} = \frac{}{3}$
33.	$3 + \frac{2}{3} = \frac{}{3}$
34.	$3\frac{2}{3} = \frac{}{3}$
35.	$\frac{16}{4} + \frac{3}{4} = \frac{}{4}$
36.	$4 + \frac{3}{4} = \frac{}{4}$
37.	$4\frac{3}{4} = \frac{}{4}$
38.	$3 + \frac{2}{5} = \frac{}{5}$
39.	$4 + \frac{1}{2} = \frac{}{2}$
40.	$3 + \frac{3}{4} = \frac{}{4}$
41.	$3 + \frac{1}{6} = \frac{}{6}$
42.	$3 + \frac{5}{8} = \frac{}{8}$
43.	$3\frac{4}{5} = \frac{}{5}$
44.	$4\frac{7}{8} = \frac{}{8}$

Lesson 29: Subtract a mixed number from a mixed number.

A STORY OF UNITS – TEKS EDITION
Lesson 29 Sprint 4•5

B

Number Correct: _____

Improvement: _____

Change Mixed Numbers to Fractions

1.	$5 + 1 =$	
2.	$\frac{5}{5} + \frac{1}{5} = \frac{}{5}$	
3.	$1 + \frac{1}{5} = \frac{}{5}$	
4.	$1\frac{1}{5} = \frac{}{5}$	
5.	$3 + 1 =$	
6.	$\frac{3}{3} + \frac{1}{3} = \frac{}{3}$	
7.	$1 + \frac{1}{3} = \frac{}{3}$	
8.	$1\frac{1}{3} = \frac{}{3}$	
9.	$4 + 1 =$	
10.	$\frac{4}{4} + \frac{1}{4} = \frac{}{4}$	
11.	$1 + \frac{1}{4} = \frac{}{4}$	
12.	$1\frac{1}{4} = \frac{}{4}$	
13.	$\frac{10}{10} + \frac{1}{10} = \frac{}{10}$	
14.	$1 + \frac{1}{10} = \frac{}{10}$	
15.	$1\frac{1}{10} = \frac{}{10}$	
16.	$1\frac{2}{10} = \frac{}{10}$	
17.	$1\frac{4}{10} = \frac{}{10}$	
18.	$1\frac{3}{10} = \frac{}{10}$	
19.	$\frac{3}{3} + \frac{2}{3} = \frac{}{3}$	
20.	$1 + \frac{2}{3} = \frac{}{3}$	
21.	$\frac{8}{8} + \frac{7}{8} = \frac{}{8}$	
22.	$1 + \frac{7}{8} = \frac{}{8}$	

23.	$1\frac{7}{8} = \frac{}{8}$	
24.	$2 + \frac{1}{2} = 2\frac{}{2}$	
25.	$\frac{4}{2} + \frac{1}{2} = \frac{}{2}$	
26.	$2 + \frac{1}{2} = \frac{}{2}$	
27.	$2\frac{1}{2} = \frac{}{2}$	
28.	$2 + \frac{1}{3} = 2\frac{}{3}$	
29.	$\frac{6}{3} + \frac{1}{3} = \frac{}{3}$	
30.	$2 + \frac{1}{3} = \frac{}{3}$	
31.	$2\frac{1}{3} = \frac{}{3}$	
32.	$\frac{12}{4} + \frac{3}{4} = \frac{}{4}$	
33.	$3 + \frac{3}{4} = \frac{}{4}$	
34.	$3\frac{3}{4} = \frac{}{4}$	
35.	$\frac{12}{3} + \frac{2}{3} = \frac{}{3}$	
36.	$4 + \frac{2}{3} = \frac{}{3}$	
37.	$4\frac{2}{3} = \frac{}{3}$	
38.	$3 + \frac{3}{5} = \frac{}{5}$	
39.	$5 + \frac{1}{2} = \frac{}{2}$	
40.	$3 + \frac{2}{3} = \frac{}{3}$	
41.	$3 + \frac{1}{8} = \frac{}{8}$	
42.	$3 + \frac{1}{6} = \frac{}{6}$	
43.	$3\frac{2}{5} = \frac{}{5}$	
44.	$4\frac{5}{6} = \frac{}{6}$	

Lesson 29: Subtract a mixed number from a mixed number.

15

A

Number Correct: _____

Change Mixed Numbers to Fractions

1.	4 = 3 + ___	
2.	$\frac{4}{3} = \frac{3}{3} + \frac{\_}{3}$	
3.	$\frac{4}{3} = 1 + \frac{\_}{3}$	
4.	$\frac{4}{3} = 1\frac{\_}{3}$	
5.	6 = 5 + ___	
6.	$\frac{6}{5} = \frac{5}{5} + \frac{\_}{5}$	
7.	$\frac{6}{5} = 1 + \frac{\_}{5}$	
8.	$\frac{6}{5} = 1\frac{\_}{5}$	
9.	5 = ___ + 1	
10.	$\frac{5}{4} = \frac{\_}{4} + \frac{1}{4}$	
11.	$\frac{5}{4} = 1 + \frac{\_}{4}$	
12.	$\frac{5}{4} = \_\_\frac{1}{4}$	
13.	8 = ___ + 3	
14.	$\frac{8}{5} = \frac{\_}{5} + \frac{3}{5}$	
15.	$\frac{8}{5} = 1 + \frac{\_}{5}$	
16.	$\frac{8}{5} = 1\frac{\_}{5}$	
17.	$\frac{7}{5} = 1\frac{\_}{5}$	
18.	$\frac{6}{5} = 1\frac{\_}{5}$	
19.	$\frac{9}{5} = 1\frac{\_}{5}$	
20.	$\frac{10}{5} =$	
21.	$\frac{\_}{5} = \frac{10}{5} + \frac{4}{5}$	
22.	$\frac{\_}{5} = 2 + \frac{4}{5}$	

23.	$\frac{8}{4} =$	
24.	$\frac{\_}{4} = \frac{8}{4} + \frac{3}{4}$	
25.	$\frac{11}{4} = \frac{8}{4} + \frac{\_}{4}$	
26.	$\frac{11}{4} = 2 + \frac{\_}{4}$	
27.	$\frac{11}{4} = 2\frac{\_}{4}$	
28.	$\frac{\_}{3} = \frac{6}{3} + \frac{1}{3}$	
29.	$\frac{\_}{3} = 2 + \frac{1}{3}$	
30.	$\frac{7}{3} = \_\_\frac{1}{3}$	
31.	$\frac{8}{3} = \_\_\frac{2}{3}$	
32.	$\frac{17}{5} = \frac{\_}{5} + \frac{2}{5}$	
33.	$\frac{17}{5} = \frac{15}{5} + \frac{\_}{5}$	
34.	$\frac{17}{5} = \_\_ + \frac{2}{5}$	
35.	$\frac{17}{5} = \_\_\frac{2}{5}$	
36.	$\frac{13}{6} = \frac{12}{6} + \frac{\_}{6}$	
37.	$\frac{13}{6} = \_\_ + \frac{1}{6}$	
38.	$\frac{13}{6} = 2\frac{\_}{6}$	
39.	$\frac{17}{6} = 2\frac{\_}{6}$	
40.	$\frac{9}{8} = 1 + \frac{\_}{8}$	
41.	$\frac{13}{8} = 1 + \frac{\_}{8}$	
42.	$\frac{19}{10} = 1 + \frac{\_}{10}$	
43.	$\frac{19}{12} = \frac{\_}{12} + \frac{7}{12}$	
44.	$\frac{11}{6} = 1 + \frac{\_}{6}$	

Lesson 30: Subtract mixed numbers.

17

B

Change Mixed Numbers to Fractions

Number Correct: _____
Improvement: _____

#	Problem		#	Problem	
1.	$5 = 4 + \_\_$		23.	$\frac{6}{3} =$	
2.	$\frac{5}{4} = \frac{4}{4} + \frac{\_}{4}$		24.	$\frac{\_}{3} = \frac{6}{3} + \frac{2}{3}$	
3.	$\frac{5}{4} = 1 + \frac{\_}{4}$		25.	$\frac{8}{3} = \frac{6}{3} + \frac{\_}{3}$	
4.	$\frac{5}{4} = 1\frac{\_}{4}$		26.	$\frac{8}{3} = 2 + \frac{\_}{3}$	
5.	$3 = 2 + \_\_$		27.	$\frac{8}{3} = 2\frac{\_}{3}$	
6.	$\frac{3}{2} = \frac{2}{2} + \frac{\_}{2}$		28.	$\frac{\_}{10} = \frac{20}{10} + \frac{1}{10}$	
7.	$\frac{3}{2} = 1 + \frac{\_}{2}$		29.	$\frac{\_}{10} = 2 + \frac{1}{10}$	
8.	$\frac{3}{2} = 1\frac{\_}{2}$		30.	$\frac{21}{10} = \_\_\frac{1}{10}$	
9.	$9 = \_\_ + 1$		31.	$\frac{27}{10} = \_\_\frac{7}{10}$	
10.	$\frac{9}{8} = \frac{\_}{8} + \frac{1}{8}$		32.	$\frac{13}{6} = \frac{\_}{6} + \frac{1}{6}$	
11.	$\frac{9}{8} = 1 + \frac{\_}{8}$		33.	$\frac{13}{6} = \frac{12}{6} + \frac{\_}{6}$	
12.	$\frac{9}{8} = \_\_\frac{1}{8}$		34.	$\frac{13}{6} = \_\_ + \frac{1}{6}$	
13.	$9 = \_\_ + 4$		35.	$\frac{13}{6} = \_\_\frac{1}{6}$	
14.	$\frac{9}{5} = \frac{\_}{5} + \frac{4}{5}$		36.	$\frac{17}{8} = \frac{16}{8} + \frac{\_}{8}$	
15.	$\frac{9}{5} = 1 + \frac{\_}{5}$		37.	$\frac{17}{8} = \frac{\_}{8} + \frac{1}{8}$	
16.	$\frac{9}{5} = 1\frac{\_}{5}$		38.	$\frac{17}{8} = 2\frac{\_}{8}$	
17.	$\frac{8}{5} = 1\frac{\_}{5}$		39.	$\frac{21}{8} = 2\frac{\_}{8}$	
18.	$\frac{7}{5} = 1\frac{\_}{5}$		40.	$\frac{7}{6} = 1 + \frac{\_}{6}$	
19.	$\frac{6}{5} = 1\frac{\_}{5}$		41.	$\frac{11}{6} = 1 + \frac{\_}{6}$	
20.	$\frac{8}{4} =$		42.	$\frac{13}{5} = 2 + \frac{\_}{5}$	
21.	$\frac{\_}{4} = \frac{8}{4} + \frac{1}{4}$		43.	$\frac{17}{12} = \frac{\_}{12} + \frac{5}{12}$	
22.	$\frac{\_}{4} = 2 + \frac{1}{4}$		44.	$\frac{13}{8} = 1 + \frac{\_}{8}$	

Lesson 30: Subtract mixed numbers.